はじめに

中国湖北省の省都・武漢市を発生源とする感染症は、瞬く間に世界全土に拡散し、既に世界各地で三九五九万人の感染者、一一〇万人もの死者が確認されている（令和二年十月十八日現在）。いまだ収束の目途は立っておらず、感染の流行は今後長く続くことも予想される。

この新型コロナウイルスは、飛沫感染によって伝染することがわかっており、その拡大を防止するには、人と人との接触を極力控えなければならない。諸外国では、都市封鎖や外出の禁止を人々に課すなどして対応しているが、わが国では、政府が四月七日に「緊急事態宣言」を行い、地方自治体と共に、外出や移動の自粛、夜間営業を行う店舗の休業・時間短縮、大規模イベントの中止を要請するなどして対処してきた。

しかし、憲法に国家緊急時のルールを設けていない日本の「（改正）新型インフルエンザ等対策特措法」では、国や地方自治体が国民に対して行えるのは専ら「要請」と「指示」の範疇にとどまり、「罰則を伴う命令」で強制が可能な他国と比べて対応に限界があることが浮き彫りとなった。

人々の生活スタイルも一変した。全国的に企業のテレワークや、大学などの教育機関でのオンライン授業が実施され、社員の働き方、学生の学び方が大きく変わり、店舗等でもいわゆる「ソーシャル・ディスタンス」を保った営業を余儀なくされている。経済は苦境に立たされ、人々は不安と恐怖を抱き、社会全体が大きな閉塞感に包まれる中、ウイルスと共存しながら生き抜いていく上で必要な私たち自身の心のあり方も問われている。

この度、「未知の感染症による恐怖とどのように戦っていくべきか」「日本や台湾における感染率や死者数が世界的に見て低く抑えられている要因は何か」「加速する米中対立の狭間で我々は如何なる中国認識を持つべきか」など目下の大事な諸問題につき、拓殖大学前総長で現在学事顧問の渡辺利夫氏と、神道政治連盟首席政策委員の田尾憲男氏に対談していただいた。対談は、令和二年七月十七日、拓殖大学の会議室をお借りし、三時間にわたって行われた。本書は、その対談をもとにまとめたものである。また、対談の理解を一層深めるために、専門分野の開発経済学のみならず、広くアジアの政治と経済、近現代史、それに心理学など幅広い知見をお持ちの渡辺利夫氏の諸論文のうち、産経新聞「正論」に発表された三つの論文を掲載させていただいた。

対談のブックレット化をご快諾いただいた両先生に心より感謝申し上げます。（編集部）

日本人の底力

コロナ禍で問われる日本の針路

対談

渡辺利夫
拓殖大学学事顧問・前総長

田尾憲男
神道政治連盟首席政策委員

コロナ禍による日常生活の変化

――去る四月七日の緊急事態宣言の発令を境に、私たちの生活様式は大きく変わりました。在宅ワークや、密集を避ける時差出勤が取り入れられ、働き方が激変しました。また、三密を避けるため飲食店では席の間隔を空けるようにするなど、サービスのあり方も変わってきています。コロナウイルスの感染拡大が深刻化する中で、これらの変化をどのように捉えておられますか。

渡辺　私が勤務する拓殖大学では、いまキャンパスに学生がいません。これは非常に不気味な感じです。私は約五十年、大学の教員をやってきましたが、学生が一人もいないキャンパスは初めてです。特に新入生とは、まだ一度も会っていないんですよ。

拓殖大学の学生数は、万を超えます。したがって、仮に大学が感染源になれば、大問題となります。これは大学に限らず、どこの組織でも同じだとは思いますが、若者を万単位で集めている組織というのは、こういった時には極めてもろいものだと感じています。今日に至るまで、まさに薄氷を踏む思いで、スクーリングをいつ始めようかと考えてきましたが、とうとう今日まで全学とも不可能な状態が続いています。

そして、学生の中には授業料を払えなくなって休学、退学していくという例も少なくありません。また、お金に困ってもアルバイトすらなかなかできない。保護者の方も大変な思いをされております。仕送り、授業料納付のプロセスがなかなか進まない。現在、実態を調査していますが、大学は結局授業料で運営していくほかない組織です。大学で授業をして、授業料をいただいて組織を回す。そのメカニズムが崩れつつあるのが現状です。

しかし、私は今の状況を悲観的に捉えてばかりいるわけではありません。本校でも、いわゆるオンライン授業を開始しました。すると、「結構うまくいくものだな」と私自身感じました。同じように手応えを感じている教員も多いようです。

さらに、学生にオンライン授業への満足度について、アンケートをとりました。私は一割くらいいれば良いと思っていましたが、四割の学生が満足していると回答しました。

私自身、教室での対面授業の場合は、学生が話を聞いてくれなかったり、私語が多かったり、パワーポイントで部屋を暗くするとみんな寝始めたり。後味の悪い思いで帰ってくることも少なくありませんでしたが、オンライン授業ではそういう学生を気にしなくて済みます。パワーポイントで映写する図版を、今度はパソコンに添付して学生に示すこともできます。レジュメもいつもより一所懸命にいいものをつくる。私自身が書いた論文を参考資料として添付することもできます。読みたい学生はいくらでも読むことができるわけです。

このように考えると、大学における教授法も今回のコロナ禍を契機に、大きく変わる可能性があります。もちろん、大学本来の対面授業は基本です。しかし、対面とオンラインをうまく組み合わせる。ゼミ単位、大教室単位に至るまで様々な段階がありますが、新たな手法にトライする価値があることを感じており、頭を切り換えつつあります。

現在のオンライン授業に問題があるとすれば、機材の故障率の高さです。しかし、それもこの期間が過ぎれば、オンライン授業をする上で、さらに使い勝手のいい機材が出てくるでしょう。今回の体験が大学教育改革の一つのターニングポイントになるのかもしれない。私は、ポジティブに見ています。

田尾　私も大学と企業、両方の状況から大きな変化を実感しております。

一つは、私は学生時代から武道の合気道をやっておりまして、卒業して国鉄に入社し、イギリス留学から帰ってきて金沢勤務となった昭和四十八年に、縁あって金沢大学に合気道部をつくる働きを行いました。それ以来、師範を手伝って毎年夏の合宿には必ず出るようにしておりますが、先日、主務の部員から手紙をもらいました。

「大学が完全に閉鎖されていて、クラブ活動が一切できない。部員が一カ所に集まることすらできず、みんな悩んでいる。どうしていいかわからず、苦しんでいる。何か助言が欲しい」と言ってきたのです。いまだ入学式も行われておらず、新入部員の勧誘もできない。大学は閉鎖されていて道場にも部室にも入れない状況だというのです。私は驚きました。

それで、「よしわかった。では、まず大学に行って、守衛さんに頼んで部室に入れてもらい、木刀と杖を持ち出してきなさい。それを一人一人持ち帰って、自分の部屋でも戸外でもいいから、毎日素振りを行い、型の一人稽古を行って体を鍛え、体力を維持するように努めなさい」。また、「今は外出自粛ということであれば、これまで自分が読みたかった本とか、これから学問研究しようと思っている分野の本などを求め、まとめて読んでみる絶好の機会なのだ」ということも伝えました。さらに、「コロナウイルス自体は空気感染するわけではないので、お互いに近接して飛沫による感染さえ注意しておれば行動はしていいのだ。不活発になって身体の免疫力を低下させることの方がむしろ危険なのだ」といった心構えなども書いて送ったところ、あとで「皆で読んで安心しました」と言って喜んでもらいました。

一方、企業の方はどうなっているかというと、先日私が勤めていたＪＲの情報システム会社に立ち寄って驚きました。社長も役員も出社していないのです。社長や役員は週一回出勤すればよいことになっているという。また、社員も五割以上がテレワークで在宅勤務になっているというのです。それで仕事が回るのかと聞くと、在宅でも資料はデータ共有できるし、会議も自宅にいて参加できるし、何も問題はないとみな口々に言うのです。社員もそれぞれ自宅のパソコンを会社のとつないで仕事を行っているから、特段の不都合は出ていないというのです。

これを聞いて、仕事のやり方がずいぶん変わったものだと思いました。渡辺先生が仰るように、どこの大学でもオンライン授業が浸透しました。企業でもテレワークが常態化しつつあります。わざわざキャンパスやオフィスに出かけていかなくてもいいようになったのです。

それで、夫婦共働きの家庭は、夫も妻も自宅でテレワーク、息子も自宅でオンラインで大学の勉強ができるという状況が生まれています。ウイークデーと土・日の区別なく家の中にいて仕事も学業も完結するということになるわけです。これは大変な変化が起きていると思わざるを得ませんでした。

健全な生を阻む不安と恐怖の自己増殖

——五月六日付産経新聞「正論」欄に掲載された渡辺先生の「新型コロナ感染不安の心理学」（論文は五十ページに掲載）を拝読し、感銘を受けました。先生はこの文中で次のように述べておられます。「不安、恐怖を『異物化』し、これを本来あるべきものではないとして排除しようと図らうならば、私どもはますます深い不安、恐怖の『虜囚』とならざるを得ない」。巷では、「コロナ離婚」「自粛警察」などという言葉も聞かれます。誰もが落ち着かず、目に見えない恐怖と戦う日々が続いています。渡辺先生はどういった問題意識でこの文章をお書きになったのでしょうか。

渡辺　私は、本当に恐ろしいのはコロナそのものというよりは、コロナに伴う不安や恐怖にあると考えています。コロナによる不安、恐怖感情は、心的外傷として後々まで引きずる厄介な問題になりかねないと感じています。

いわゆる不安障害、強迫観念、これらは精神医学がこの世に生まれて以来、最大のテーマとして取り組んできたことですが、とうとう今日に至るまで、これを癒やす医薬品や治療方法はできていません。効能不明の抗鬱剤（こううつざい）が多少ある程度で、鬱のメカニズムさえよくわかってはいない。非常に厄介な問題だと思うのです。

これに対して、どのようにして国民が立ち居振る舞うのか、また、どのようにメディアが報道するのかが私の関心事でした。

我々人間は、とにもかくにも無数の敵に囲まれて生きています。遡（さかのぼ）って考えれば、人間という存在自体、自然界に遅れてやってきた「新参入者」です。一方のウイルスは、人間がこの世にやってくるはるか以前から存在してきました。この世の中が、遅れてやってきた者に都合良くつくられているわけがないのです。我々は無数の敵に囲まれながら生きている。しかし、そうは言っても、無数の敵と戦うことなどできるはずがありません。

にもかかわらず、私たちはとかく「この敵さえやっつければ、不安と恐怖から解放される」と考えがちです。今回の新型コロナウイルスにも同じことが言えるのではないでしょうか。森田正馬（まさたけ）という精神医学者は、こうした人間の心理を「防衛単純化の機制」という表現を用いて説明しています。「機制」とは、仕組みとかメカニズムのことです。

ここでちょっと考えてみませんか。

「自粛警察」なんて嫌な言葉がありますが、「あいつマスクつけなければいいのにな」と思うと、

「おい！　なぜつけないんだ」とついつい言いかねないような心理が働きます。

　つまり、多くの人々は、敵を一点に絞り、その敵が自分の心に潜んでいるのではなくて、第三者、他者の中にあるのだと考えてしまうのです。そして、その他者を攻撃、批判、糾弾することによって、自分自身の不安や恐怖から解放されようとする心理にとかく傾きがちなのです。

　しかし、仮に一時の恐怖や不安から免れたとしても、また次の不安と恐怖の対象が眼前に現れてきます。一つの不安と恐怖に襲われ、それらのよって来る所以を見つめずにただ不安と恐怖の中に佇んでいると、その不安と恐怖は「自己増殖」を続け、ついに不安障害や強迫神経症の「虜囚」となり、私たちの健やかな生を阻んでしまうのです。

　それが、今回のウイルスでわかったことです。平時であれば、これほど穏やかに調和的に動いている社会はないと思っていた。しかし、あたかも将棋のように、たった一つの駒の動きの変化によって全局面の構図が変わってしまうのです。平時からちょっとした有事に切り替わった時、今まで我々の目には見えなかった新しい状況がパッと見えてくるということを、今回まざまざと思い知ったのではないでしょうか。そして、その淵源には人々の心の中に巣食う不安と恐怖があると思うのです。

　私はこの期間、アメリカには行っていませんが、どこからどう見ても世界の最先端を走っているアメリカ社会で、あんなにも悲惨なパニック、ヒステリーが起こったのです。インドでもブラジルでも同様の光景が見られました。

もちろん日本でも、小さなものであれば社会の片隅では企業や学校や家庭の中でさえ、そのようなことが無数に起こってきています。つまり、この世の中は、精細なメカニズムのもとでつくられているわけですけれども、それがほんの少し狂うだけで社会全体がガタガタになってしまう可能性を実は孕（はら）んでいるのです。

こうしたことを書き表したものが他になかったこともあり、経済学者がこんなことを書いて良いのだろうかと思いながらも、思い切って書いてみたところ思いもよらぬ反応がありました。

田尾　経済学者の渡辺先生がこういうところにまで関心を向けておられるというのは驚きで、我々一般の者ではとても迫れない大事な本質的な視点だと思いました。私も読ませていただき、なるほどと感心し、勉強になりました。

まさに、コロナという目に見えないウイルスの感染症の発生によって、人間の不安感や恐怖感がかき立てられ、それがストレスとなって様々な形で外に発散されてきています。

家庭においては、ドメスティック・バイオレンスの増加も取り沙汰されていますが、昨日まで仲良かった夫婦が、急にイライラして勝手なことを言い合ったり、暴力を振るうようになったりするケースも聞かれます。子供たちも学校に行けなくなっているため、家に閉じ込められて何をしていいかわからず、外にも出ずにゲームばかりやっている。それを見て親が子に対して無理矢理勉強を押しつけたり、逆に子が親に反抗して攻撃的になる。普段は穏やかな家庭だったのに、ひび割れが生じてしまうという事例も聞かれます。

何が原因かと探れば、コロナウイルスそのものではなく、その感染拡大が契機となって人間の心に宿る本源的な不安とか恐怖心が、閉鎖的な環境に置かれた時に急に高まり、それが自分以外の他者に向かって発動されるということになるのでしょう。

こうした人間の負の感情をコントロールすることは、非常に難しいことですね。先生の仰る通り、誰の心からもこうした感情は抜き取れないからです。

問われている日本人の死への心構え

渡辺　だからこそ、「心の構え方」が今まさに問われているのではないでしょうか。そもそも不安や恐怖といった感情は、なぜ人間の中にあるのでしょうか。それは先ほど申し上げた通り、我々の周りにあまりにも敵が多いからです。多くの敵が周りにいっぱいいるのに不安も恐怖心もないのであれば、生物として存在していくことができません。不安、恐怖という感情は人間存在の根源です。この防衛本能を失った生物は、生物として存在できない。

私は、不安や恐怖は人間が人間たるそもそもの由来なのだと考え、事実を事実として「あるがまま」に見つめることが必要だと思います。

不安や恐怖は逃げれば逃げるほど追いかけてくるものです。「幽霊の正体見たり枯れ尾花」という江戸時代の川柳があります。障子の向こうで幽霊の影が動いていると思い、恐怖に震えている時、意を決して障子を開けてみたら、実際はすすきだったという話から来ています。障子に映った影に怯えていただけだった。正体がわかれば怖くはないというわけです。「あるがまま」に見るとはそういうことです。

私は、この川柳はコロナ問題の在り処に迫るものだと思います。コロナウイルスは未知のウイルスです。現段階では特効薬もワクチンもない。その上、世界中で恐ろしい暴動などが起こっているという報道に接して、怯えない人間はいません。

しかし、一歩踏みとどまって、恐怖に怯えている自分の心の「あるがまま」を見つめてみる。「この不安や恐怖がなければ俺は存在し得ないんだ」と冷静に己を見通す力が必要です。

マスメディアは、もう少しそういう側面を考慮して報道すべきです。毎日来る日も来る日も「今日の新規感染者がこれだけ増えました」「夜の街では……」と報道して、不安と恐怖に人々を陥れるように報道しているように見えてならない。

先ほど申し上げたように己を見つめ直すと、このウイルスの見方も違ってくるはずです。

つい先日、東北大学に呼ばれて講義をしてきました。担当の先生と東日本大震災後のフラッシュバックのことが話題になりました。フラッシュバックとは、強いトラウマ体験をした場合に、後になってその記憶が呼び覚まされる現象です。震災から十年近くの時間が経ちますが、未だに苦しめられている人が大勢いらっしゃいます。その先生は取材を通じて自分の専門領域からフラッシュバックのメカニズムを解き明かそうとしています。

今回の新型コロナウイルスとはもちろん性格は異なりますが、もしかしたら今度の方がより厄介なのかもしれません。東日本大震災は甚大な悲劇を生みましたが、自然災害という目に見える悲劇でした。しかし、ウイルスは目には見えません。人間は目に見えないと一層強い恐怖を感じるものです。

そこを私たち皆が共有・共感できる言葉、語り口で表現していくことができたならば、この恐怖を乗り越えていくことができるのではないか、私はそう考えています。

田尾　非常に共感いたします。突き詰めていけば、それは死の恐怖と裏腹のものかと思われます。かつて上智大学にドイツ人のアルフォンス・デーケンというキリスト教のカトリックの司祭でもあった先生がおられました。この方は、「死への準備教育」の必要性やホスピスの提唱者で有名でした。日本人では同じくカトリックで小説家の曽野綾子さんが「学校の義務教育で早くから死の教育を行うべきだ」ということを強調されています。仏教では、昔から「生・老・病・死」の四苦にどう対処するかということがよく説教されてきました。また日本の武士道では、死を恐れず、死に際の「潔さ」が貴ばれてきました。

西欧の社会でも「死を恐れるな」ということがよく言われておりました。特にペストなどの伝染病の大流行した中世ヨーロッパでは、「メメント・モリ」（ラテン語で「死を思え」）ということが盛んに言われました。これは、「死を思え。死を忘れるな。常に死というものを心に意識して良く生きよ」という教えです。こうした考え方、生き方は、ある種死の不安から人の心を解放する手立てにもなっていただろうと思います。日本でも、新しい仏教が次々に生まれた中世の鎌倉時代には、鴨長明や吉田兼好などが様々に随筆を残して無常観や日常の死について論じています。吉田兼好は「死は必ずしも前から来るものではない。死は後ろからも来る。だから心しておけ」というようなことを書き残しております。つまりこれは、人間の死は予測できないもの。いつも朝起きたら、夕には死んだ体になっているかもしれないというくらいの覚悟を持って日々良く生きよ、という教えだと思います。

　死を伴う人間の敵となるものは、今日ではウイルスや細菌のような目に見えない敵、交通事故のような不意に襲ってくる敵、天災事変のような誰も避けられない、予測できない大敵……。考え出せば切りがないほど、世の中には死につながる無数の敵が存在します。だからこそ、いつ不慮の死に襲われるかもわからない、いつ病気になって死の宣告を受けることになるかわからない、高齢になればガンなどの病気は避けられないもの、といった覚悟を一人一人が日頃から保持しておくべきなのです。良く生きるために、死というものを早いうちから意識して生きるように、若い時から、人としてどう生きるかとともに、死についてもよく考えてイメージしておくことの大切さを先人たちは教えてきました。しかし今日では、死に触れることをタブー視して、日常からますます遠ざけようとしています。

渡辺　田尾さんが仰った死生観には、私もとても共感します。困ったことに、今日の日本の医療の現場は今言ったような死生観を許容してくれる場になっていません。

日本は今、平均年齢が世界トップクラスですよね。歴史上最長のところにまで来ている。では、最先端の医学は何をしているかというと、この平均寿命をさらに引き延ばそうとしています。ＣＴスキャナーの設置台数が百万人当たり何台か、という統計をＯＥＣＤ（経済協力開発機構）が出しています。実は、二〇一七年には一〇七台となるなど、日本はダントツで世界一です。また、日本人の年間一人当たりの医療機関受診回数も世界一です。

ＥＣＭＯ（体外式膜型人工肺）という人工呼吸器もごく日常的に使われている。また、中心静脈栄養の輸液、胃瘻（いろう）による水分栄養補給、人工透析などの技術も進歩しています。老人が最先端の大学病院に入って、ロボットのように機械につながれて最期を迎えることも日常茶飯事です。

「なぜそんなことをするんだ」と私は思うのですが、結局それをよしとする考え方、つまり実に宗教性もなければ、倫理性もない世界がどんどん広がっているわけです。医療水準が高いと言えば聞こえはいいですが、その反面では残酷な競争が行われているのです。

医療先進国といわれるドイツやスウェーデンの医療現場では、そんな無駄なことはやっていません。先日、あるルポルタージュを読んだのですが、そこには、「人間は食えなくなったらそのままにしておくのが良い」とドイツやスウェーデンでは考えられていることが書かれていました。腹に穴を空けてまで栄養補給をする、あるいは呼吸が止まった人間に人工呼吸器なんか付けるのは、虐待だという考え方です。

そういうことをサポートするためのＮＧＯがたくさんあるそうです。そこに年間いくらかのお金を払い込んでおくと、自分はむごたらしい生命維持装置から解放されるということを保証してくれるファンドがあるそうです。私は、こういったことを議論できるのが、本当の医療先進国だと思うのですが、日本は全く逆を行っています。昨今、盛んに「医療崩壊」が叫ばれていますが、では具体的に何の話をしているのかというと、要するにＥＣＭＯが足りないと言っているだけだったりします。

コロナ禍で見直される日本人の美徳

――日本は今のところ、世界的に見て死者が比較的少ないですが、その要因についてはどのようにお考えでしょうか。

渡辺　世界各国、現段階で大事なことは、手洗い、うがいを、国民常識として徹底させることでしょう。そういう意味では、日本はとてもいい国です。「清潔」というのは非常に大事なことですね。いつも身ぎれいでピシッとしていなければならない。私の孫はもう成人してしまいましたが、子供の頃には「じーじ、ばーば、こんにちは」とよくやって来ました。

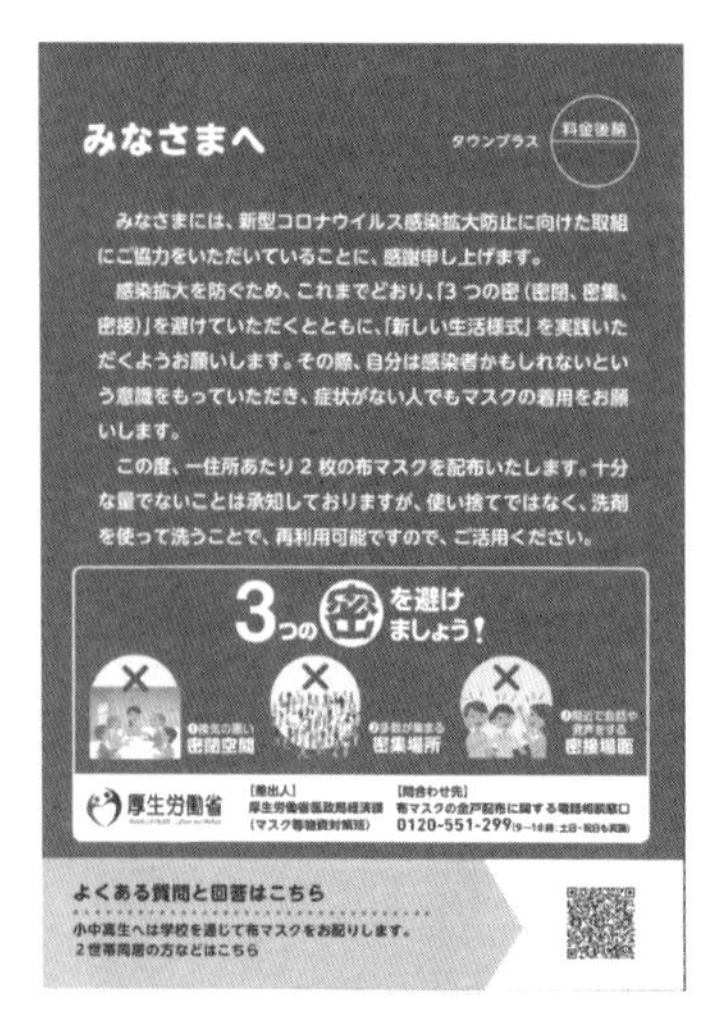

みなさまへ

タウンプラス　料金後納

みなさまには、新型コロナウイルス感染拡大防止に向けた取組にご協力をいただいていることに、感謝申し上げます。

感染拡大を防ぐため、これまでどおり、「3つの密（密閉、密集、密接）」を避けていただくとともに、「新しい生活様式」を実践いただくようお願いします。その際、自分は感染者かもしれないという意識をもっていただき、症状がない人でもマスクの着用をお願いします。

この度、一住所あたり2枚の布マスクを配布いたします。十分な量でないことは承知しておりますが、使い捨てではなく、洗剤を使って洗うことで、再利用可能ですので、ご活用ください。

3つの密を避けましょう！

①換気の悪い密閉空間　②多数が集まる密集場所　③間近で会話や発声をする密接場面

厚生労働省

【差出人】厚生労働省医政局経済課（マスク等物資対策班）

【問合わせ先】布マスクの全戸配布に関する電話相談窓口　0120-551-299（9～18時：土日・祝日も実施）

よくある質問と回答はこちら

小中高生へは学校を通じて布マスクをお配りします。2世帯同居の方などはこちら

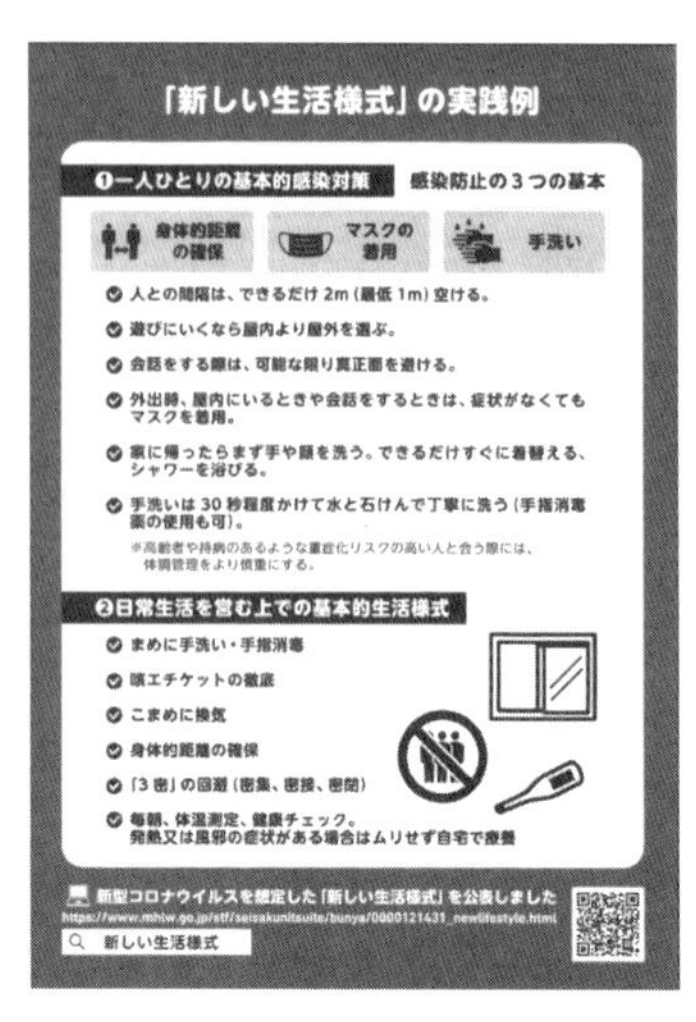

「新しい生活様式」の実践例

①一人ひとりの基本的感染対策

感染防止の3つの基本

身体的距離の確保　マスクの着用　手洗い

- 人との間隔は、できるだけ2m（最低1m）空ける。
- 遊びにいくなら屋内より屋外を選ぶ。
- 会話をする際は、可能な限り真正面を避ける。
- 外出時、屋内にいるときや会話をするときは、症状がなくてもマスクを着用。
- 家に帰ったらまず手や顔を洗う。できるだけすぐに着替える、シャワーを浴びる。
- 手洗いは30秒程度かけて水と石けんで丁寧に洗う（手指消毒薬の使用も可）。

※高齢者や持病のあるような重症化リスクの高い人と会う際には、体調管理をより慎重にする。

②日常生活を営む上での基本的生活様式

- まめに手洗い・手指消毒
- 咳エチケットの徹底
- こまめに換気
- 身体的距離の確保
- 「3密」の回避（密集、密接、密閉）
- 毎朝、体温測定、健康チェック。発熱又は風邪の症状がある場合はムリせず自宅で療養

新型コロナウイルスを想定した「新しい生活様式」を公表しました

https://www.mhlw.go.jp/stf/seisakunitsuite/bunya/0000121431_newlifestyle.html

新しい生活様式

一住所当たり２枚の布マスクと共に配布された政府広報紙の一面

私が玄関で彼らに「うがい、手洗い！」と言いますと、ごくごく自然にやってくれます。日本人ならではの衛生観念は今も残っています。

現在、日本の感染率が非常に低い背景には、日本の伝統的な秩序観、行動規範、そういったことがあるように思います。

田尾　日本の神道には神事の前に身を洗い清める「禊（みそぎ）」の習慣があります。これが毎日風呂に入って身体を清潔に保つ一般人の習慣につながってもいます。日本人は自ら「神州清潔の民」と称し、心のあり方としても「清らかさ」「潔さ」「清き明き心」が善美の心として称賛されてきました。今のところ、日本における新型コロナウイルス感染者の死亡率は諸外国と比較しても驚くほど低い。世界でも最高齢社会であるにもかかわらず、なぜなのか。やはり、よく手を洗う、うがいをする、入浴して身体を清潔に保つ、

こういう日常の習慣が美徳となって根付いていることが大きいと思います。

　また、マスクも効果的です。アメリカ人やヨーロッパ人はこれまで風邪をひいた病人しかマスクをしませんでしたが、今回のコロナウイルス流行を契機に見直され、日本人と同じように他人からの飛沫を受けない予防のためにも皆がマスク掛けを励行するようになりました。安倍首相が決断して全世帯に配布したいわゆる「アベノマスク」は、一部のマスコミなどから批判されましたが、実はマスクと一緒に、基本的な守るべき感染対策や「新しい生活様式」の実践例などを説明した政府広報紙が同封されていたのです。これを一軒一軒に丁寧に郵送して各人に注意を喚起したことは評価されるべきことだと思います。

　例えば、イギリスではどうしたかというと、ジョンソン首相が国民の三千万人にレターを送り、三つのことを発信しました。一つ目は、「stay home」。家にいて外出を控えよ、ということです。二つ目は、「keep NHS」。ＮＨＳというのはナショナルヘルスサービス、すなわち国民保健事業が破綻（はたん）しないよう維持せよということです。医療崩壊をきたしてはならないということでしょう。そして三つ目は、「save your lives」。あなたたち自身で自分の命を安全に守れ、ということです。

　また、エリザベス女王は四月五日にテレビを通じて全国民を励まされました。そこで女王は、私たちの生活は、混乱し、苦境にあるが、ＮＨＳの最前線で奮闘する人々や国民生活に不可欠な仕事に携わっている全ての人々に感謝の意を表した上で、「私たちは成功する。まだ耐えることはあるが、互いの友人となり、家族とともに暮らし、再会できる、良き日は戻ってくる」と国民に忍耐と団結を訴えて激励したのです。

それでも日本の人口の約半分のイギリスはすでに四万人を超える大量の死者を出しています。日本はまだ九八五人で、人口比から見ても二桁以上の差が見られるのです。

それぞれの国に様々な対策や国民性の特色や違いがあると思うのですが、日本は、政府の対策と努力の成果は大いに評価すべきだし、日本人の良き生活様式や国民性の美徳は自覚して誇りに思うべきだと思います。

また、医師、看護師、保健師など医療従事者に対する感謝の気持ちを持つこと、さらにスーパーやコンビニで働く人々、宅配便の運転手、清掃人等々の英語で「エッセンシャルワーカー」と呼ばれる社会生活に不可欠の基礎を支えてくれている人々に対しても、ありがたく感謝する気持ちを持ちたいものです。今回のコロナ禍は、改めてそのことの大事さにも気づかされたと言えるのです。

「自粛要請」の言葉の矛盾と問題点

――今回の新型コロナウイルスをめぐる一連の日本政府の対応について、どのようにご覧になられましたか。

渡辺　政府の対応について批判はありますが、今日はできるだけポジティブな話をしようと思っています。それに、批判は検証を徹底した後にすべきことだとも考えています。

今回、「自粛要請」ということが言われました。

強制力がなく罰則もない、要請あるいは指示です。しかも指示を出しているのは、政府ではなく自治体のトップです。こういった対処で感染者数が極めて低いというのは、仮にこれで収束に向かうとするならば、確かに有力な「日本モデル」となり得るだろうと思います。

田尾　世界のメディアも、これまでの日本の対応と成果に、不思議さと同時に驚嘆するコメントを出しています。

例えば、アメリカではワシントンポストが「ミステリアスジャパン」と驚き、外交誌「フォーリン・ポリシー」では、「幸運だったのか、政策がよかったのかわからない」としながらも「死者数が奇跡的に少なく、結果は敬服すべきものだ」と高く評価しています。オーストラリアでも、ABCテレビが日本の死者の少なさを「puzzling mystery（評価に惑う不思議さ）」と評していました。国民性抜きの外国人の評価は、なかなか難しいものですね。

――京都大学の山中伸弥教授も『文藝春秋』六月号の取材に次のように答えていました。

「僕が今とても気になっているのは、日本の感染拡大が欧米に比べて緩やかなのは、絶対に何か理由があるはずだということです。何が理由なのかはわからないのですけれど、僕は仮に『ファクターX』と呼んでいます」

渡辺　日本の場合、自粛要請という形で、人々の心の構え方に訴えているわけです。自らの倫理観や道徳心に照らし合わせて自らの行動を律して下さいということです。そして、実際に国民が自らの行動を律したからこそ、世界でも極めて低い死亡率になっている。これは驚くべきことです。道徳や倫理というものは、日本の長い歴史や伝統の中でつくりあげられたものです。

私たち日本人は、他国が真似できないようなことをやっているという自覚を持つべきではないでしょうか。

しかし、「自粛を要請する」というのは実は言葉の上では矛盾です。本来、自粛とは粛々と自らを律することです。要請は相手に求めることを意味します。自ら粛々と律することを要請するというのは、言葉の組み合わせとしておかしいといえばおかしい。しかし、日本人は難なくこれを受け入れたというわけですね。

田尾　しかも、「自粛要請」のみならず、「自粛解除」までも政府に従いましたからね。日本人が従順で国の方針によく従うのは、長い歴史が生み出した国民性だと私は思います。すでに七世紀の初めに、推古天皇の時代の十七条憲法には、第三条で「詔(みことのり)を承りては必ず謹(つつし)め」とありますし、近代に入っては、明治天皇の教育勅語に「常に国憲を重(おもん)じ、国法に遵(したが)ひ」という教えがあり、しかも天皇と国民が共にその教えを守ってきた長い歴史が生み出したものと言えると思います。ここが諸外国と非常に違うところだと思うのです。

渡辺　緊急事態宣言が出たのが四月七日でした。私はその時、ある病院に行って、次の日にヘルニアのオペを受けました。この頃の病院はガラガラでした。院内感染が問題視されていた時期で、誰もいなかったのです。それから一カ月経って予後検診のため病院に行ったら、今度はものすごい混みようでした。自粛要請を解除した途端のことです。自粛要請にはここまで効果があったんだなと実感しました。

田尾　私もこの「自粛要請」という言葉には、疑問を持って抵抗を感じておりました。私は、政府が本来、国民に対して訴えるべき言葉としては、ウイルスに対する「自衛の要請」というべきだったと思うのです。

「自己防衛」すなわち「自分の健康と命は自分で守ってほしい」と要請すべきだったと思うのです。すなわち、手洗いやマスク掛けを励行し、他人との距離をはかって飛沫（ひまつ）感染を予防し、外出する場合は三密を避けるなどの注意を払って自分の身は自分で守ってほしい。そのようにして一人一人が「自衛」に努めることが友人や同僚、それに家族を守ることにもなり、それが感染拡大を抑えて医療崩壊を防ぎ、社会と国を守ることになるのだと、政府と知事は共に訴えるべきだったと思うのです。それを、何も悪いことをしていないのに「自粛しろ」と言われると、どうも人々の心が萎縮（いしゅく）の方向に向かいます。どうしていいかわからぬ不安心理も重なって、国民は元気を失ってしまうことになるように思うのです。

欧米では、政府が政策判断する時の心得として、「二対六対二の原則」ということが言われます。これは、国民のおよそ二割は政府の言うことに無批判的に従う人々。約六割は政府の方針を踏まえつつも、できるだけ自分で物事を判断して決めるという人々。あとの二割は国が何と言おうが、自分の主義や価値や信仰などに基づいて、己の意思に従って行動する人たちがいるということです。

問題は、この最後の二割の人々の行動を、政府としてはどう抑えて社会防衛を図るかということにあります。結局最終的には、これは法律で強制するしかありません。事実、外国は法律で罰則を設けてロックアウトや外出規制などを強制しました。

日本の場合は、私権の制限を嫌う主張が強すぎて、こうした罰則規定を伴った法律をつくれなかったために、かえって様々な不公平を生じ、その是正の難題を生じています。例えば今回、最初に中国の武漢から帰国した人々の中には、コロナ感染の検査を拒否した人たちがいました。また、営業の自粛や休業要請をしたにもかかわらずイベントを実施したり、パチンコ屋の一部は応じませんでした。それで、どこか近県で営業しているとわかれば、好きな人の中には東京の方から駆け付けた人もいました。

なぜ、自粛要請が出されているのに行ったのかと聞かれて、「わしらは、昼間パチンコするか酒飲むしかないんだ、それをやめろって言ったって無理だよ」と言っていました。立法府の国会と政府や自治体の行政は、常にそういう人がいるということを前提に法律を考えないといけなかったのです。

いま東京では、ホストクラブやキャバレーなどを感染源に、二十代・三十代の若い人の感染者が増え始めています。しかし、そういうお店も休業すれば、従業員が明日から食べていけなくなるから店を開くし、好きな若者はやはり出て行くわけです。こういう人たちが感染してクラスターが発生した場合、これはもう抑えようがありません。強制的にでも店を閉鎖させないと、結局要請に従わずに店を開いた者が得をする。不公平さや不満が出てくるし、感染拡大も防げません。それゆえ「自粛警察」のような動きが一般の人々の中から生まれてくるのも仕方ないことで、そこに原因があると思うのです。発動するかどうかは時の判断によるとしても、少なくとも法律で罰則付きの強制可能な準備はしておくべきだと思います。

しかし今回、日本政府は強制力のある法改正まではいきませんでした。緊急事態宣言も、首相は宣言を出すだけで、実施するのは都道府県の知事です。知事は、県民の命、財産を守る責務があります。知事は首相とは違い、住民から直接選ばれる大統領制なのです。したがって知事の権限において、全責任をもって政策を執行しなければならない。

しかし今回、知事たちが緊急事態宣言を出して実際に全責任を負ってみてわかったことは、都民や県民に自粛の要請とか、指示を出してお願いするだけでは限界がある。要請や指示に従わない人が出てきた時はどうしようもないということでした。それで既に何人かの知事は、国が強制できるように早くインフルエンザ等対策特措法を改正してほしいと言っています。

渡辺　「自粛」と「要請」という、本来であれば、結び付くはずのない用語がピタッと結びついて、日本人はそれを受け入れたわけですね。

これは海外のメディアが評しているようにミステリアスな話ですが、逆に言うと、政府は国民のこういう感情に今後ともあまり甘えてはいけないということも言えるでしょう。

この間、台湾の友人である林建良(りんけんりょう)さんと話している中で、自ずと日本、台湾、中国それぞれの民族性の話になった。そして、キーワードが一つあると林さんは言うのです。

それは「忍耐力」だというのです。

日本人は中国人に比べて忍耐力が非常に強いらしい。東日本大震災の時でも、あれほどの悲劇に耐えたじゃないですか。もちろん、今なおトラウマが残っている方もいらっしゃいますが、とにかく耐えた。今回のコロナでも、少なくとも今まで耐えてきました。しかも、法律によってではなく、規範に訴えて耐えた。とてもじゃないが中国ではそんなことはできないと林さんは言うのです。

つまり、中国人はもっと小さなストレスでも爆発するらしいのです。中国では武漢からすさまじい数の人が逃げ出しました。情報が統制されているので正確にはわかりませんが、武漢の村や町ではあちこちでヒステリー、パニックが頻発していたわけです。

「渡辺さん、日本人はどうですかね」と聞かれたものですから、「ヒステリーやパニックのことなど日本では聞いたことないよなあ」と答えました。

しかし、今後さらに強い自粛要請が続いていくとすれば、日本人もどこかで忍耐が切れてしまう時が来るかもしれません。そこで大事なのが、政治における権力行使の微妙なさじ加減です。こうしたことを政治家は当然考えておかなければならない。

なぜ中国はウイルスを制圧できたのか。日本の権力とはレベルがはるかに違う、共産党という専制的な権力があるからです。

つまり、国民の忍耐度が低い場合には、権力はその数倍強いものでなければ抑え込めない。専制主義というと、とかく北朝鮮などをイメージしますが、あんなガラクタ国家とは違って、中国共産党は一億人近い党員を擁し、ありとあらゆる地域、組織に党員が配置されている。そして、党のものすごい圧力によって、少なくとも第一波に関しては、新規感染者を抑え込んだわけです。もちろん数字的な根拠は曖昧ですが。

権力の大きさ、深さ、規模。どこからどう見ても日本と中国は全く異なります。中国共産党の疫病対策は、大変なエネルギーを消耗したのだろうと思います。それに比べれば日本は、ほんのわずかな力で対処したわけですから、経済的有効性の観点から言えば圧倒的に有効なのは日本ですよね。

安倍首相の今回の一連の対応をどのように見るかということについては、今までの政治家とは違い評価が両極的なところがあります。

安倍さんが嫌いで、何を言っても反対という人がいる。一方で、その分強いメッセージとして受け止めた方も多かったんだろうと思います。支持率というのは瞬間的な指標を記しているだけであって、政権全体として、在任期間として何をしたかということで、歴史が証明するものですから私が答えを出すわけにはいきません。

しかし、私は安倍首相、ドイツのメルケル、台湾の蔡英文(さいえいぶん)、イギリスのジョンソンなどは、わかりやすく力強い表現で発信していたなという印象を持っています。ほかの政治家であっては、こうは言えないだろうという表現もありました。結果としてここまである程度うまくいっている。いずれ歴史の証明がなされるとすれば、むしろ評価が高いものになるんじゃないかな。東日本大震災の時の民主党政権のような、ああいうものと比べてみれば、はるかによくやっているように思えます。

コロナ対策に成功した台湾の奇跡

――コロナ対策での成功例として台湾がクローズアップされました。「マスクアプリ」を世界に先駆けて開発・実施するなど、感染拡大対策を次々と打ち出し、死者が七人（七月十七日現在）と奇跡的な抑え込みをしています。今回台湾がコロナ感染を抑え込むことができた要因を伺いたく思います。

渡辺　蔣介石の時代、台湾の公用語は中国語になってしまった。それまでは出身地域の言葉を話していたのですが、完全に中国語の世界になった。以来、言語的に、中国大陸と台湾は同一のようになりました。

さらに、ＳＮＳの時代になると、中国から発信される情報を台湾は瞬時にキャッチできるようになりました。もちろん中国側から見ても同じことが言えますが、ともあれ一つのフラットな世界になっているわけです。

今回でも、武漢で新型のウイルスが発生して人間に感染したという第一報が入る。日本には入りにくい情報が台湾にはちゃんと入っているわけです。情報を獲得する上で、地理的にも言語的にも有利な立場にあるのが台湾です。台湾は、インターネット先進国であることも相まって、情報獲得が極めてスピーディーでした。

たしかに、日本は台湾に比べてのんびりしていたようには思います。しかし、その国その国に与えられている条件を急に変えることはできません。

台湾は、中国の圧力に日々耐えて生きています。いかにしてこれに耐え、生存していくかという課題を抱えています。政治力学的なメカニズムが日本とは全然違う。一方の日本という国は、なんだかんだ言いながらも日米同盟に守られている。アメリカ大統領がトランプになってから少し変わっては来ているものの、明日何か起こるというふうには日本人は考えない。日常的に晒(さら)されている政治環境が台湾と日本では随分と違うということですよね。

田尾　政治家も国民も緊張感が違うのでしょうね。

渡辺　緊張感でしょうね。直近でも香港の問題が表面化しましたので、台湾人の心の中に、中国共産党のやり方に対する恐怖がうごめいていたのでしょう。武漢から感染拡大していることがわかった時、いち早く手を打とうと実にスピード感溢れる対応をとりました。台湾の現地報道を見たらすぐにわかりますが、指導者たちが自信に満ちた顔をしていました。一方の日本の担当大臣というのは、台湾人に比べたら緊張感が薄く頼りない印象を受けましたね。

　指導者たるもの、国家の緊急事態がいつ発生してもおかしくないと想定し、「こういう類の場合にはこういう人物を抜擢（ばってき）しよう」「彼に全権を任せて指揮官になってもらおう」と頭の中に思い描いている人物が何人かいるはずです。台湾のＩＴ大臣として注目を集めた唐鳳（オードリータン）などは、蔡英文の頭の中にかねてあった人物だと思います。

　日本でも、歴史を振り返れば、日清戦争の後に後藤新平を抜擢した児玉源太郎のことが思い起こされます。児玉は陸軍次官として日清戦争後の検疫事業の指揮官を任されました。戦争終結後、戦争を戦った兵士たちは、コレラ、マラリア、ペスト、アメーバ赤痢（せきり）など様々な悪疫に罹患（りかん）して帰ってきます。児玉は、当時の西欧にも類を見ない規模と効率性をもってこの検疫事業に当たりますが、児玉が検疫事業の実務を担う事務官長を任せた人物が、後藤新平でした。

　指揮官たる児玉の頭の中には、「この戦争をどうやって終わらせるか」「検疫事業をどうするか」ということが常にありました。様々な人物を思い浮かべる中で、「やはりこいつだ」と思ったのが後藤新平だったわけです。

「何が何でもこいつを口説く。そして、ポストを与えた以上は余計な口出しは一切しない」「俺の役割は予算をとってくることだ。あとは全部お前に任せる」という後藤への絶大な信頼感が児玉にはありました。そして、後藤の方も任せてくれた児玉に対する忠誠の心は半端なものではなかったはずです。

後藤が任を引き受ける前、児玉との間でこんなやりとりがありました。児玉に頼まれて検疫事業にかかる経費を「百万円」と試算した後藤に対し、児玉は述べます。

「百万円あればコレラの侵入を防ぐことができると君はいうんだね。よし、それでは百五十万円くらい出そうじゃないか。君、軍部の役人になってこの仕事をやらんか」

しかし、「相馬事件」で逮捕され、牢から出てきたばかりの後藤はすぐには引き受けようとはしません。そこで、さらに児玉はこう述べます。

「それでは、君の都合のいいように別に官制を出す。臨時陸軍検疫部官制をつくって、部長を私がやり、事務長は後藤君、君がやればいい。予算は私が取ってくる。後の一切は、君に任す。どうか」

後藤は児玉の熱意を受け、検疫事業に尽力します。一刻も早く故郷に勝利の錦を飾りたいと気がはやる兵士たちの検疫は、困難を極めました。それでも、児玉と後藤はまさに人生を賭してその困難に臨んだのです。

この歴史からわかることは二つです。一つは、コレラという当時は治癒の方法がまるでなかった感染症に対して、限られた資源をあたうる限り凝集して事態に対処しようという危機意識を指導者が共有したこと。もう一つは、事態の対処に当たる指揮官に有力な人材を抜擢・配置し、彼らにほとんど全権を与えて事に臨んだことです。

何かあった時に誰に全権を任せるか、ということを指導者が日頃から心の中に準備しておくことは大事なんでしょうね。

今回、安倍首相が指揮した感染症対策専門家会議では、尾身茂氏が副座長を務めていました。多くの専門家を抱え、方針を打ち出し、多くの国民も納得して彼の言に従って行動した。台湾には及ばないかもしれませんが、なかなか迅速にうまくいったように私には見受けられました。

田尾　今の話に関連して、渡辺先生は、この春に『台湾を築いた明治の日本人』という書籍を出されていますね。児玉源太郎や後藤新平はもとより、八田與一（はったよいち）や磯永吉（いそえいきち）などの人物にも光を当てて物語を描いておられます。どういった経緯でこの本をお書きになったんでしょうか。

渡辺　ちょうどコロナ禍の最中に完成した本でした。この本では、明治日本人の精神を描いてみようと試みました。台湾統治のありようの中に明治日本人の精神とは如何なるものであったか、特に指導者の精神性について論じてみたかったのです。

昨年一年間、産経新聞社の総合雑誌『正論』に連載してきたものをまとめたものです。毎月締め切りに追われる日々を過ごしながら、年をとってからこんなに苦労をするものかと思うほど大変な一年でしたが、全体を再構成して、ともかく一冊の本として世に問うことができました。

――本書冒頭、明治初期の日本に河川・港湾工学を導入することに貢献した古市公威という人物の言葉が紹介されています。パリ留学中、体を壊しかねないほどの猛勉強をする古市を気遣う下宿先の女主人に対して言った古市の言葉が印象的でした。「私が一日休めば、日本の近代化は一日遅れるのです」――。当時の日本人の情熱がひしひしと伝わってきました。

渡辺　この言葉から滲み出ているのは、往時の日本における「エリート主義」です。

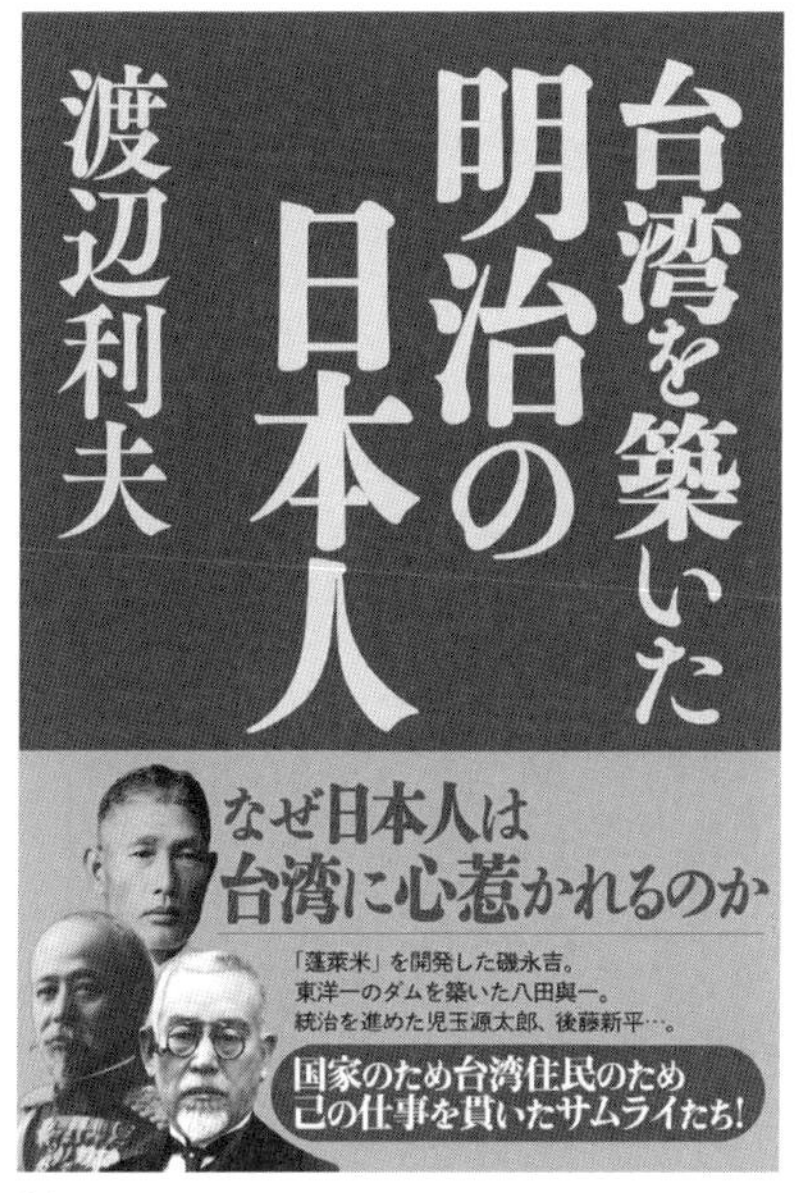

『台湾を築いた明治の日本人』
（産経新聞出版）

後藤新平（1857～1929）

「一日休めば近代化が一日遅れる」というのは、エリーティズムの極致のような言葉です。「日本が遅れる」というのは、つまりナショナリズムですね。エリーティズムとナショナリズムをたった一行で表現すると、こういう言葉になってくるのでしょうね。

また、磯永吉、八田與一、杉山龍丸（たつまる）といった日本人も紹介しました。

磯永吉は、「蓬莱米（ほうらいまい）」の開発に、実に二十年近い歳月をかけ、ついに成功した人物です。台湾における米不足の解消という課題への挑戦でした。稲の品種改良のために、ひたすらに単調な仕事を重ねた磯という人間の持ち前は根気でした。蓬莱米の開発により、台湾のみならず日本本土の米不足解消にも貢献しました。

八田與一は、工科大学卒業と同時に、未開のフロンティア台湾に出立、総督府土木部の技術者となりました。八田は、嘉南（かなん）平原の開発に着手します。雨季における水の制御、乾期における給水の確保といった水利灌漑（かんがい）施設の整備です。八田は烏山嶺（うざんれい）に三千メートルを超えるトンネルを掘削（くっさく）し、巨大なダムを造って水のコントロールを成功させました。起工から竣工（しゅんこう）まで十年余を費やした大事業でした。

八田の功績は、「八田ダム」として、今では日本でも知られるようになってきました。うれしいことです。しかし、杉山龍丸の功績を知る人は極めて少ないでしょうね。杉山は、インドのパンジャーブ州の飢餓に深く心を痛め、磯と台湾国民政府の協力を得て、蓬莱米をインドに持ち込み、インドの人々を飢餓から救い出すことに尽力した人物です。

この本では、こうした人物を通して、台湾に生きた明治日本人の精神を発掘することを試みました。

田尾　素晴らしい取り組みだと大変感銘を受けております。

これは、歴史のifの話になってしまいますが、台湾と同じように、もし満洲で当時の「五族協和」の王道主義の理想を実現するべく、もっと長く国家建設の事業を進めていたら、今頃どうなっていただろうと思うことがあります。

私は、鄧小平が始めた中国の改革開放時に、日本生産性本部が主催した中国市場の将来発展可能性についての経済調査団の一員として、大連や北京、上海や広州などの中国主要都市を訪問したことがあるのですが、大連で市内案内し通訳してくれた学生がこう言うのです。「なぜ日本はもっと長く満洲にいてくれなかったんでしょうか。街の建物を見てください。ここにある中国人民銀行や大連賓館（旧ヤマトホテル）などの立派な建物は、みんな日本人がつくってくれたものです。日本人が去ってソ連人が侵入してきた時は、建物や工場などの中のものはみな持っていかれました。そのあと中国共産党の国になってからは、政府は何一つ新しいものをつくってくれていません。もし日本人がずっといてくれたら、今は素晴らしい国になっていたはずです」と。私は驚きました。共産党支配下の中国東北部、旧満洲の置かれた立ち位置を考えざるを得ませんでした。

渡辺先生が描かれた『台湾を築いた明治の日本人』と同じように、合気道の創始者・植芝(うえしば)

盛平（もりへい）翁も、若い頃には満洲に行って、武道を指導されていました。あの頃は「五族協和」の理想を掲げていたものですから、実際に大学の寮などは五人部屋になっていて、そこに日本人、満人、蒙古人、漢人、朝鮮人の五民族出身の学生が入って寮生活をしていたということを門人だった方から聞いたことがありました。本当に言葉通りに諸民族共栄の道を開いていこうという理想と志を持っていたのですね。この精神をあの地で絶やすことなく生かせていたらと思うと、残念でなりません。戦後に「植民地支配」などと言われて批判されるのみですが、そもそも万里の長城以北の土地は漢民族の中国のものではなかったのです。清帝国は、満洲族が長城を越えて侵入して建国したものであり、今はそれが逆転しているのです。我々は先入観を排除してもっと戦前の日本人、明治の先人を深く学んでいく必要があります。

渡辺　この本が出る前に産経のコラムに、本の内容を要約して書いたところ、様々な教育機関から、話をしてくれないかと依頼がありました。非常に鮮やかな記憶として残っていますのは、町田高等学校での講演です。約三五〇名の生徒に対して一時間の講演でしたが、みな一所懸命に話を聞いてくれました。八田與一の話を高校生が真面目に聞いてくれて、非常にうれしかった。あんなに緊張してレクチャーの準備をしたことはないですね。

八田與一については、台湾の中等学校教科書『認識台湾』に載っているので、台湾人はよく知っているのですが、日本人はまだまだ知らない。全く不思議なことです。

今こそ、中国認識を徹底的に深めよ

――コロナ禍を通じて、日本でもマスクが一時期店頭から消えたことに象徴されるように、マスクのほとんどが中国でつくられ、輸入されたもので中国に依存し過ぎた日本経済の実態が浮き彫りとなりました。一方の中国は、世界各国でマスク外交を展開しながら、尖閣周辺の接続水域では連日のように侵入を繰り返しています。これから先、日本はどのように中国と向き合っていくべきか、お考えをお聞かせください。

渡辺　私たちは、中国認識を徹底的に深めないとどうにもなりません。

中国という国は、自分の国でコロナが発生し、それを何とか制圧したら、今度は余った医療機器、人材等を外交の手段に使おうと動いてきた。こういうことを平然とやるのが中国という国だということをよくよく理解しておく必要があります。中国共産党にとっては、「党益」のためには、恫喝でも詐欺でも裏切りでも、何でもありです。語るべきは、中国というより共産党という支配権力なんです。

「中国共産党とはどういう存在なのか」を徹底的に認識して、付き合わなければしょうがない。「日中友好」を口にするのは簡単ですが、多くの人たちは、共産党とどうやって付き合うのかを、あまり考えたことがないのではないでしょうか。

中国は巨大な国家です。私も三十年近くあの国を見てきて、はじめは冗談じゃないかと思っていたのですが、どうやら冗談じゃなかった。共産党は「改革・開放」によって莫大なお金を手にしたのですが、それを再配分するという面倒な手続きを省いて、共産党による一党独裁のために富を集中させたのです。その富をいかようにも使うことができる。これほどまでにパワフルな国家は、歴史上例を見なかったほどです。

しかも、この中国の新しい時代が、グローバリズムと同時並行で進んでいる。

史上最大版図を誇った清朝の中国は、世界の富の六割を持っており、今よりさらに大きな存在でしたが、当時はグローバリズムとは無縁でした。しかし今は、巨大な富を一点集中させて、グローバリズムの中で中国が動ける行動空間が次々と広がっている。これは大変恐ろしい時代です。

台湾はこれにじっと耐え忍んでいるのです。中国はこれから先、かなり高い確率で、南シナ海、さらには東シナ海へと海洋進出を進めてくるのでしょう。香港、尖閣、沖縄へと「一帯一路」の路を広げようとしてくる。その道筋が中国の指導者の目には浮かんでいるのでしょう。この構想を実現するために、共産党は世界をお金で買っていくわけです。中国からお金を受け取ったが最後、受け取った国や組織や団体、そして個人までも中国になびかざるを得なくなるわけです。

ただ、私はエコノミストとして、そう簡単には中国の思い通りにはいかないだろうというシナリオも持っています。一国の成長過程があれほど長期にわたるのは、今まで例のないことです。中国も例外ではないはずです。二〇〇八年にリーマンショックが起きて世界中がヘトヘトになった時、中国はすさまじい財政資金を放出し、金融を緩和して、経済を立ち直らせた。その時の大きな負債の傷を今なお中国は背負っているのです。もう一回成長のアクセルをコロナ後に踏もうとしているのですが、もうこれ以上の負の遺産には耐えられません。

私たち日本人の中国認識を正して中国共産党とどう付き合うのかを徹底的に考えなければならない。しかし、今のジャーナリズムも、アカデミズムでさえも、ちゃんと考えているとは思えないですね。「一体こんなことで日本は生きていけるのか」と問いながら、中国共産党への認識を怜悧（れいり）にする時期なんですよ。

日本を蝕む憲法に埋め込まれた「個人主義」

――今回の政府の緊急事態宣言とも関係してきますが、憲法改正問題について、どのようにお考えでしょうか。今日、憲法審査会は機能しておらず、何ら審議をせずに無為に時間を浪費している状況です。

渡辺　私は、憲法改正を考える上でのキーワードとして、最も根源にあるのは「個人を尊重する」という考え方だと見ています。保守も革新も関係なく、この考え方が日本人の心を深く捉えてしまっていることに大きな問題があるように思うのです。

歴史的に見て、元来、日本には「個」とか「個人」という観念がありませんでした。ところが明治に入り、福澤諭吉が欧米から山のように本を買ってきて片っ端から読んでいると、その中に「インディビデュアル（individual）」という言葉が頻繁に出てきます。そこで福澤は「弱ったなぁ、どうやって訳したらよいものか」と思い悩んだらしいのです。日本にはインディビデュアルに対応する観念がないために、翻訳しようにもできないわけです。福澤は悶絶するほどに悩んだそうです。そして、どうにか「独一個人」と訳したのですが、響きが悪かったからなのか、この言葉が広がることはありませんでした。

そして、いつの間にか「独」が落ち、「一」が落ちて、「個人」となり、そのうちに「人」まで落っこちて、「個」ともいわれるようになりました。そうして、「個としての私」「個の集団としての我々」という表現が広がっていくこととなるのです。これに「主義」が付いたら「個人主義」となり、イデオロギーになるわけですが、この概念が今日の日本人を律していると言っても過言ではないでしょう。言葉が人間の思考を呪縛しているのです。漢字というのは典型的な表意文字ですから、この言葉が人間の考え方を左右するのに決定的に役割を持っているのです。

例えば、憲法第二十四条の婚姻条項には、次のように書かれています。

「第二十四条　婚姻は、両性の合意のみに基いて成立し、夫婦が同等の権利を有することを基本として、相互の協力により、維持されなければならない」

個と個の結びつきが夫婦を形成することになっていますね。家族とか共同体という観念は、ここからは完全に消えているのです。

ここから生まれてくる一番深刻な問題は出生数の激減でしょう。折り紙を半分に折ると二分の一に、もう一回折ると四分の一になります。戦争が終わってから今日までの間、二六〇万人以上だった出生数が半分になって、それがまた半分になって四分の一になっている。現在では九十万人を切っています。これは「個」を過度に尊重してきた戦後体制が招いた結果です。

私の青春時代、東大教授を務めるような偉い先生方も、家族とか共同体というのは封建主義、軍国主義につながるという風潮で、そうした考え方は解体すべきだと主張していました。

一人の人間が生涯五十歳まで独身で済ます割合を示したものが「生涯未婚率」ですが、これも著しく上昇しています。二〇〇六年には単身世帯数が標準世帯（夫婦と子供からなる）数を上回って最大の世帯類型となりました。日本の人口史上初の事態です。非婚、離婚、子供を持たない夫婦が増え、人口再生産のメカニズムが毀損（きそん）されつつあるのです。結果として、出生率も低下しますから、自衛隊、警察などでは人手が足りなくなっている。十八歳人口の減少で大学だってあと何年もつかわかりません。自分のつくった観念で自分の国を崩す、瓦解（がかい）現象が始まっているのです。私はこれこそ今語るべき最大のテーマだと考えています。

憲法の中に隠然と埋め込まれているのが「個人主義」の思想です。これをつくったのはGHQでした。そして、あれから七十年以上が経過し、GHQ的なるものを日本人が拡大再生産して受け継いでいるわけです。東京大学法学部はそういう学生を養成し、彼らが各省庁のトップになっている。国防も大事ですが、同時に日本社会を蝕む「個人偏重主義」の思想を批判・批評できるエリートを育てる必要があるんじゃないでしょうか。

田尾　全く同感です。渡辺先生が仰った「個人偏重主義」は、日本国憲法に埋め込まれた家族破壊の論理だと私も思いますが、それは同時に個人そのものをも不安定で不幸にするものといえるのではないでしょうか。なぜなら、家族や社会や国家の様々な支えなくして、純粋に独立した「個人」などというものは、人の頭の中で考える以外に存在し得ないからです。第二十四条の第一項は先ほど渡辺先生が紹介されましたが、同条の第二項には、家族に関する事項に関しては「法律は個人の尊厳と両性の本質的平等に立脚して制定されなければならない」と規定されています。さらに憲法第十三条には次のようにあります。

「第十三条　すべて国民は、個人として尊重される。生命、自由及び幸福追求に対する国民の権利については、公共の福祉に反しない限り、立法その他の国政の上で、最大の尊重を必要とする」

世界の憲法を見渡せば、尊厳性は、英語で言えば「インディビデュアル」すなわち「個人」というより、「パーソン」つまりは「人としての尊厳」なのです。例えば、ドイツでも韓国でも、憲法上は「個人の尊厳」ではなく、「人間の尊厳」となっています。そもそも「基本的人権」というのも、およそ人類共通の「人間としての権利」であって、それゆえに「尊厳」なのです。「インディビデュアル」というのは個々の人の単位を表す言葉にすぎません。家族や社会の諸集団、国家などの帰属先をすべて剥ぎ取って分離していって、もうこれ以上細分化できない「最小『単位』としての個人」というような意味合いを含んでいると思います。「個人」といっても一個の「人」であって、現実には様々な集団に所属した、その制約を受けた存在でしかあり得ないのです。

憲法第十三条からもわかる通り、日本国憲法が重視している「個人」の尊重も、それは実は「公共の福祉」と密接に関係している、あるいはそれをも内在した概念であることがわかります。すなわち個人は所属集団としての「公共」（国家や自治体など人々がその中で暮らす集団社会）の福祉に利する存在であって、それに反する行為は「公共」を守るために制限され、規制されうる。特に集団の人々が危険に晒される緊急時にはそれが大事で、その公共の利益、福祉を守るために私権の制限や強制、その手段や手続きなどを明確に示しておくことが必要になってくるのです。歯止めなき「個人（自由）主義」は、「個人偏重」の「利己主義」へと向かい、その当然の帰結として、「家族より個人が大事」「国家より個人が大事」という考えを一方的に助長していくこととなって、家族・社会・国家を突き破ってゆくことになるのは明らかといえます。

これに歯止めをかけるものとして、まずは家族集団があるわけで、諸外国の憲法では「家族」を夫婦と親子を前提にした、連続性を持った「自然的かつ基礎的な単位」としてその尊重規定が定められているのです。わが国のように、国家が「個人」のみを尊重して「家族」を尊重する規定を欠けば、バランスを欠き、少子化の歯止めなどかけられません。

東日本大震災の時、私が感心したことの一つは、避難された人たちの中で、何が一番つらいことかと聞かれて、一人の方が「家族の写真とアルバムがなくなってしまったことです。それに先祖の位牌がなくなったこと」と答えていたことでした。身内の者が津波で海に流され、どこへ行ったかわからなくなり、位牌もなくなってしまった。自分が何者かということの証明ができなくなってしまった。一人になってしまったことの不安とつらさです。こうした自分の先祖と家族のゆかりの物がなくなれば、自らの拠って立つアイデンティティ、すなわち自己の存在基盤が揺らいでしまうのです。つまり、「単一個人」だけが残った不安定な状況になったわけで、とてもつらい思いをしていたと思います。

そして当然のことながら、東日本大震災を契機に「家族の絆」「先祖との繋がり」というものの大切さが改めて見直されました。非情悲惨な災害に直面してみてはじめて、最も自然で基礎的な血縁の共同体としての「横の家族」の存在と、忘れかけていた「縦の祖先」のありがたさとその価値が見直されたといってよいでしょう。

――渡辺先生がご著書『アジアを救った近代日本史講義』（ＰＨＰ新書）の中で、先生ご

拓殖大学での講義風景

自身の家族写真を紹介されながら、「血脈」という縦につながる「垂直的人間関係」の大切さを説かれているのが印象的でした。

渡辺　私は大学の日本近代史講義の冒頭で学生達にこう語りかけています。

〝現世の自己の存在のみがすべてだなどと考えるのは不道徳です。諸君には父母がおり、祖父母、曽祖父母、祖先がいます。数世代を遡るだけでゆうに百人を超える血族があり、その内の一人が欠けても諸君はここには存在していません。君たちの持つ様々な属性は遺伝子の情報伝達メカニズムを通じて血族から諸君に移し替えられてきたものです。それゆえ個人はすべて歴史的存在なのです。現世の個人は連綿と続く血縁の中の一人の旅人なのです。死せる者の言うことにも耳を傾けながら現世を選び取るという感覚を呼び起こそうではありませんか。〟

「血族」とか、「血脈」という言葉は、現在の出版界ではNGワードなんです。「血」という言葉がダメらしいのです。しかし「血族」「血脈」というものがなかったら、私どもはここに存在していませんよね。

憲法改正で自主独立の精神を打ち立てよ

田尾　憲法に関連して、最後に緊急事態条項のことについて言及しておきたいと思います。今回のコロナ禍における政府の対応は、厳密に言えば、実は憲法違反を問われかねない危険性を孕（はら）んでいるのです。憲法上では広く、「居住、移転の自由」に基づく移動の自由、「職業選択の自由」に基づく営業の自由などが保障されていると解されています（第二十二条）。しかし、政府の国民への外出制限となる「自粛要請」や事業の「休業要請」や強い指示などによってそれらの自由権が半ば奪われている状況です。

また、憲法では子供の「教育を受ける権利」（第二十六条）が保障されているわけですけれども、全国の高校や小中学校を一斉休校にすることで、その権利が奪われました。その判断は自治体の知事や市町村長、それに校長の権限であり、岩手県などはいまだに感染者ゼロ、死者ゼロであるにもかかわらず、すべて休校にしてしまったのです。子供たちは大変な不利益を被（こうむ）っています。全く憲法に反していると思いますし、合理性を欠いています。知事らには、住民の利益を守るために地方自治体独自の自治精神を発揮してもらいたいと思います。

未知の新型感染症拡大の危険性があるとはいえ、こうした基本的な人権がなし崩し的に侵害され、現実的に奪われているにもかかわらず、政府の判断だけで自治体はそれを容易に受け入れており、住民もそれを問題視しません。私からすれば、普段私権の制限に口やかましい人権派の人々やジャーナリストは、なぜ声を上げてこれを問題にしないのかと思うのです。憲法上に緊急事態に対応するための正当な規定がないが故に、こういう時に知らず知らずのうちに政治の強権化を許し、それが意識されないで進行しているという大事な側面を、もっとしっかりと自覚するべきではないかと思うのです。

緊急事態条項を設けることによる政治の暴走を云々する人々がいますが、それは全く逆です。実際には設けていないことでかえって権力によるなし崩しの暴走を招きかねないのです。この不安定な状態から脱却するためにも、やはりこの際、コロナ禍を契機に緊急事態条項を設ける憲法改正の議論を、国会と国民が真剣に行っていくことが大事だと思います。

そして、私は憲法改正で一番大事なことは自主独立、自立自衛の精神を打ち立てることだと考えています。戦後日本は、憲法九条の戦力の不保持規定にもかかわらず、日米安保条約によってかろうじていくつかの危機を切り抜けてきましたが、ラッキーだったとしか言いようがありません。それが習い性となって、その悪弊で、今や自国第一主義に傾くアメリカに依然として依存し切っています。経済では、領土拡大と海洋覇権を狙う中国に依存し過ぎています。世界第三位の経済大国のわが国は、この米中双方への依存状態から抜け出すためにも憲法改正が必要なのです。戦後七十年以上にわたって、とっくに時代遅れとなった憲法を一言一句変えることもできないでいるわけですから、誠に情けない状況と言うほかありません。心ある政治家のリーダーシップを強く期待しているところです。

渡辺　駒澤大学の西修先生が、一〇四カ国の憲法を調べられたところ、憲法に緊急事態条項が載っていない国は日本だけだったそうです（西修『憲法の正論』）。

このことからも、日本が特殊な状況に置かれている国だということがよくわかります。国家緊急事態に関する法律がないにも関わらずコロナ禍が収まってしまったとしたら、これまたずっとこのままの法体制でいくのかもしれません。

しかし、「これから先も自粛要請だけで、首都直下型地震、南海トラフ地震、北朝鮮の核ミサイル攻撃に対応できるのか」と問われればどうでしょうか。緊急事態とは、重大かつ即座に対応しなければならない事態のことです。人権や私権が日本の憲法において重要性を持つことは誰も否定しません。しかし、国家の緊急事態に直面して、なお人権や私権の遵守を言い募るのであれば、肝心の人権・私権を守ることすらできません。

コロナのことで多少うまくいっているからといって、次に想定される緊急事態のことを忘れては困ります。国家緊急事態条項を憲法に書き込む、そのための準備を粛々と進めなければなりません。

――長時間にわたり、貴重なお話をいただき、どうもありがとうございました。

付

コロナ禍の克服と令和日本の深淵課題

渡辺利夫

一、新型コロナ感染不安の心理学

産経新聞　令和二年五月六日付朝刊

新型コロナウイルスの拡散に人々は怯(おび)えを隠せない。医療崩壊のニュースが報じられるたびに不安と恐怖に身の縮む思いに駆られている。ウイルスの正体がいまだつかめず、治療薬の開発、免疫力効果の発揚にはなお時間を要するらしい。

この状況下でおそらく最も深刻なことは、人々の心の中に不安障害や強迫観念が密(ひそ)やかに進んでいくことであろう。強迫観念が少しずつ積もり、やがてその累増が社会的なパニックを引き起こす危険な可能性がある。

不安の「虜囚」となるなかれ

生きとし生けるものにはすべて生存本能がある。自己防衛本能がある。人間の本性である。この本性があってこそ、人間は古来このか細い人生を生き永らえてこられたのにちがいない。

しかし、人間の生存本能は、時として自らの生存を脅かすものを特定の他者の中に見出し、これを非難し糾弾する攻撃的な心理へと人々を誘う怪しさと危うさがある。罹患者を排除しようとする差別的な心理はしばしば御しがたい。

理性とは真逆のこの心性が人間の中に内在していることを、私どもはありありと認めなければなるまい。その認識に至って初めて私どもは理性と反理性の在り処に覚醒することができるのであろう。

医療崩壊のことを聞かない日はない。日本の医療水準・制度は世界においても際立つ。この医療を崩壊させるものが、わが内なる反理性であることに私どもは気づく必要がある。

病むことを不安に思い、死を恐怖することはすべての人間に共通する心情である。不安、恐怖は誰にもあり得る当然の心理である。不安、恐怖を「異物化」し、これを本来あるべきものではないとして排除しようと図らうならば、私どもはますます深い不安、恐怖の「虜囚」とならざるを得ない。強迫神経症としてかねて精神医学において語られつづけてきた症状がこれである。この症状を治癒する療法や治療薬はない。人間のこの心理の傾きを私ども自身が反転させるより他に方法はない。

煩悩の犬、追えども去らず

神経症は実は異常ではない。人間の強い生存本能のまぎれもない反面である。人間の精神の内界には「生の欲望」と「死の恐怖」が共存している。生の欲望が強ければ強いほど死への恐怖もまた強いという心理相対論が真実なのであろう。

森田療法の創案者として名高い森田正馬(まさたけ)は次のように記している。

「生きとし生けるものの絶えざる活動や、死に臨んでもがき転々反側(てんてんはんそく)する有様は、生物界における客観的な具象としてわれわれの観察するところのものである。この客観的現象について、私はこれを生の欲望と名付け死の恐怖と目する」

森田はまた「煩悩の犬、追えども去らず」という言い習わしを用い、その症状を「われとわが心の内の狂犬に絶えず脅かされている」ようなものだと表現する。強迫観念の生じる条件は、ある特定の想念、例えばウイルスの拡散恐怖についてこれを感じまい、考えまいとする人間の反抗心のゆえであり、この反抗心を没却(ぼっきゃく)すれば強迫観念は成立しないという。ウイルスの脅威は脅威としてこれをただ「あるがままに」みつめよう。

新型コロナウイルスの感染拡大は、東日本大震災のような目にみえる人的・物的被害とは異なる。敵はなお正体不明の存在である。先の見えない長期戦になることも覚悟しなければならない。

「情報公害」の拡散を避けよ

森田正馬の第一高弟が高良(こうら)武久である。氏は「不安は存在するのが常態である。これが事実である。それゆえ、不安を排斥して異物扱いしてはならない」という。人間は無数の敵に囲まれて生存している。敵のすべてに対処することなど不可能事である。不安や恐怖を人間が排除することはもとよりかなわない。不安は「常態」そのものだと考えてことに処すべきだ、高良はそういう。

新聞もテレビも新型コロナウイルスの恐ろしさ、医療崩壊の深刻さを訴えて倦むことがない。それぞれは真剣な報道であろうが「合成の誤謬」ということもある。真剣な報道の多くが積み重なって、結局は人々を不安と恐怖に陥れる巨大な「情報公害」を拡散させている可能性がある。ネガティブな情報のみを切り取って、それがあたかも全体像であるかのように語る「専門家」が少なくないようにもみえる。

人類の歴史は感染症との闘争史であったといわれる。確かにそうであろう。しかし、ならば、これまで収束することのないパンデミックはなかったということになろう。ファクト（事実）とエビデンス（根拠）を粛々と伝えるという、地味で着実な報道に徹してほしい。そして何より、この過酷な戦場の最前線で身命を賭して戦う多くの医療従事者をはじめとする者たちに、心からの深い敬意と、その戦いが成果をあげるよう祈る、ジャーナリズムは国民心理をそういう方向に導いてほしい。

二、緊急事態への対処　明治の教訓

産経新聞　令和二年三月十九日付朝刊

新型コロナウイルスの感染がなお収まらない。日本政府の対策についてのジャーナリズムの批判も感染の拡散と同時に起き、これも収まるどころかますます厳しいものとなっている。代案を示すこともない一方的な批判で何か益するところがあるのか。わが国には国家緊急事態に関する憲法規定が不在である。

その制約下で既存の法律を総動員し、なお残る首相権限を能う限り行使して事態に対処しようという安倍晋三氏の意思は固いのではないか。

二人のリーダー児玉と後藤

ウイルスの正体がいまだ明らかになっておらず、それゆえ感染拡大のメカニズムも不鮮明な状況下において確かな代案があるとは思えない。手洗いを励行し群（クラスター）行動を控えるといった誰にも実行可能なやり方を徹底せよといった主張を繰り返すより他ない。法の不整備、検査・医療体制をこの期に嘆いてみたところで問題の解決に資することはない。
首相が緊急事態に進退をかけて対処するといっている以上、その方針にしたがうことは民主制度の正当な手続きを経て首相を選んだ国民として当然のことだと私は考える。首相の対処方針への批判、ましてや糾弾は事態の収束後、徹底的な検証を経てからのことにしてはどうか。

日本の賢明な指導者であれば緊急事態に対して何を成し得るか、このことを示す近代史の好例はいくつかあろうが、私は児玉源太郎、後藤新平という二人のリーダーが日清戦争後に戦地から凱旋する多数の兵士に対して行った検疫事業のことがすぐに頭をよぎる。感染症罹患者への対処、危機に際しての指導者の立ち居振る舞いという観点からして、日本人が改めて思い起こしていい教訓的示唆に富むストーリーである。

日清戦争での犠牲者は戦死者は一四一七人である一方、病死者は一万一八九四人であった。コレラ汚染が特に著しいという報が入る。明治二十八年六月から八月末までに二十三万人余が六八七艘の船舶で凱旋してくる。戦争に国力を蕩尽していた日本の緊急事態である。

非難と憤懣を乗り越え

陸軍次官・児玉源太郎が事態対処の指揮官であった。事業予算確保に目処はついたが、行政的手腕において優れ、かつ専門的知識をもつ者はおらぬかと目を凝らす。ロベルト・コッホ研究所に留学経験のある内務省衛生局長の後藤新平に着目、抜擢（ばってき）。相馬事件といわれる奇怪なお家騒動に巻き込まれて連座、入獄の後、無罪が証明されたものの、衛生局長を辞し浪々（ろうろう）の身をかこっていた後藤の復活がこうしてなった。

大事業の開始である。検疫の場所には、広島宇品（うじな）の似島（にのしま）、大阪の桜島、下関の彦島の三つの離島を設定、兵舎の造営はもとより大型の蒸気式消毒罐（かん）と呼ばれるボイラーを導入しての対処を決意。コッホ研究所で起居をともにし、細菌学者としてすでに名をなす北里柴三郎の大いなる助力を得て消毒罐の設置が可能となった。

一日に六〇〇〇人以上の兵士を消毒罐の中で十五分間、六十度以上の高熱に耐えさせコレラ菌を消滅させるという設計であった。船舶消毒、沐浴（もくよく）、蒸気消毒、薬物消毒、焼却施設を整え火葬場まで建設した。勝利の錦を故郷に飾りたいと帰心矢の如き兵士たちに憤懣（ふんまん）が募る。指揮を執る後藤に対しての非難には轟々（ごうごう）たるものがあった。これを制したのは果断をもって知られる児玉の機略と権威である。

後の記録によれば、三つの離島の検疫所で罹患が証明された兵士の数は、真性コレラ三六九人、擬似コレラ三一三人、腸チフス一二六人、赤痢一七九人であった。この数の罹患者が検疫なくして国内各地に帰還していった場合に想定される事態の深刻さはいかばかりのものであったか。

気概をもって事態に対処

戦争に明け暮れる欧州諸国は日本の検疫事業に強い関心を寄せ、ドイツ皇帝ヴィルヘルム二世は児玉・後藤の事業を規模と効率性において先例のないものだと評し最大の賛辞を惜しまなかったという。後に、後藤は台湾総督として赴任する児玉に同道、総督府民政長官として植民地経営史に名を刻む事業を次々と展開していった。

新型コロナ汚染もいずれ収束に向かうことになろうが、時期を特定することは三月中旬の小稿の執筆時点ではまだ難しいようだ。

犠牲者や重症化した人々の人口比を低減させ、収束の時期を短縮することができれば、現下の日本の対策のありようは、児玉・後藤の大事業が賞賛されたごとく、後世に名を遺す「日本モデル」となろう。民主制度・機構、人権尊重といった観念のいずれも往事と現在とでは隔たりがある。単純な比較は難しい。

しかし、わが国の指導者、指揮官にはその並大抵ではない苦労がやがては報われ、新しい日本モデルの構築へとつながるのだという気概をもって事態に対処してほしい。新しい地平を拓いた者の名誉は、後世の人々がこれを必ずや大いに顕彰するにちがいない。

三、「家族の解体」ここまで来ている

産経新聞 令和元年十月二十一日付朝刊

憲法第二十四条は婚姻に関わる条文である。その第一項を改めて記すならば、「婚姻は、両性の合意のみに基いて成立し、夫婦が同等の権利を有することを基本として、相互の協力により、維持されなければならない」である。

国家、社会との関わり語らず

西修教授の指摘するところにしたがい、樋口陽一教授の著作『国法学　人権原論〔補訂〕』においてこの条文がどのように解釈されているかを確認してみた。樋口教授の指摘はこうである。

〈日本国憲法二十四条は、前近代性を色濃く帯びていた日本型家族国家観の基層としての「家」を否定し、「両性の本質的平等」と「個人の尊厳」という憲法価値を、公序として私法

上の家族関係に課すものだった。（中略）「個人の尊厳」を家族秩序内にまで及ぼそうとする点で、日本国憲法二十四条はきわ立っている〉

〈家族の問題について「個人の尊厳」をつきつめてゆくと、憲法二十四条は、家長個人主義のうえに成立していた近代家族にとって、――ワイマール憲法の家族保護条項とは正反対に――家族解体の論理を含意したものとして意味づけられるだろう〉

ワイマール憲法は二十世紀で最も民主的なものとされ、日本国憲法第二十四条の原案作成に影響を与えたといわれる。樋口教授は、第二十四条はこの憲法の家族保護とは正反対に「家族解体の論理」を意味するという。日本の憲法学では宮澤俊義教授以来、戦後リベラリストがその中枢に位置していたことは知らないではなかったが、ここまでかと驚嘆を禁じ得ない。

西教授は、一九九〇年以降に制定された一〇三カ国の憲法条項を精細に比較し、八十七カ国の憲法において家族は「社会の自然的かつ基礎的単位であること」「国家・社会の保護を受けること」がほぼ共通に書き込まれていることを証している（『世界の憲法を知ろう――憲法改正への道しるべ』）。

確かに第二十四条は個人の尊厳と両性の本質的平等をうたうのみ、家族が国家・社会とどのような関わりをもつか、もつべきかは何も語ってはいない。果たしてそれでいいのか。西教授の問題提起である。

日本の現実みつめてみると

ここで憲法論から離れて日本の現実をみつめてみよう。樋口教授の指摘通り、日本の家族は着実に「解体」に向かって進んでおり、これが推移していけば地域共同体はもとより日本という国家自体がいずれ衰滅するのではないかという不吉な予感さえ漂う。

日本の年間出生数は、一九四七（昭和二十二）～四九（同二十四）年には二六〇万人を上回っていたが、一九七一（同四十六）～七四（同四十九）年には二〇〇万人ほどとなり、二〇一六（平成二十八）年にはついに一〇〇万人を切って昨年は九十二万人を下回った。折り紙を二つに折り、それをまた二つに折って表面積がみるみる減少していくような空恐ろしさを感じさせる数字である。

人口統計では十五歳～六十四歳人口は「生産年齢人口」と呼ばれる。これは一九九六年に減少に転じている。人手不足は実はもう二十年以上前から始まっていたのである。

同統計には「合計特殊出生率」という概念がある。要するに、一人の女性が生涯を通じて生む子供の数のことである。これが二・〇以上でなければ一国の人口数は安定しないが、昨年の値は一・四二であった。五十歳までに一度も結婚したことのない人の比率は「生涯未婚率」といわれる。この比率が急増して昨年は男性二十三％、女性十四％ほどになったという。

他方、平均寿命の方は今なお高まりつつある。昨年は男性八一・三歳、女性八七・三歳、いずれも日本の人口史上で最高齢、世界でもトップクラスである。

令和新時代に「呪縛」解け

「人生一〇〇年時代」もあながち嘘ばかりではなさそうだ。人口構成において高齢者の比率が急速に高まっている。週日の昼中、街を歩いてみればわかることである。振り返れば自分も紛れもない高齢者である。

少子化とは、人間という生命体の再生産の機能が日本の家族から失われつつあることを意味する。少子化が高齢化と同時に進めば、高齢者の老いを支える共同体の基盤はほどなく危うい。生命体を再生産する機能をもつのは家族である。この機能を代替するものは家族の外にはない。少子化とは、家族維持への指向性がこの社会から消失しつつあることを示唆する。少子化の主因が未婚と離婚率の増加にあるからだ。

日本における家族の解体は、音もなく、そして気がつけば社会の崩壊を招きかねないマグニチュードで進んでいる。樋口教授たちの期待していた理想社会の現実はかかるものだったのか。

西教授は、家族が「社会の基礎的単位であること」「国および社会の保護を受けること」、この二つを柱とする家族条項を憲法に導入すべしと提唱している。個人の尊厳の呪縛からいかにして自らを解き放つか、令和新時代日本の深淵なる課題である。

対談を終えて

渡辺利夫

今回のコロナ禍の問題、このテーマは結局は死生観の問題に帰着するのであろうと思われます。生きとし生ける者は、すべて「生老病死」のサイクルから逃れることができません。誰だって知っている人生の真実です。高血圧、脳卒中、心臓病などは、かつては老人に固有の病だと受けとめられてきました。もちろん癌（がん）はその典型です。加齢とともに発症率が加速度的に上昇していくというのが、これらの病に共通してみられる統計的な事実です。それゆえ、これらはかつては「老人病」として運命的な捉え方をされてきたのですが、いつの頃からか「成人病」と言い換えられ、ついには「生活習慣病」だと呼ばれるようになりました。不健全なライフスタイルは改めよ、定期検診を怠るな、早期発見・早期治療に努めよ、とマスコミや専門家は繰り返しています。厚労省、なにより地方自治体の指導は、実際、うるさいほどです。

気道を通して侵入するウイルスが、肺の内部で増殖して引き起こされる炎症が肺炎です。肺炎による死亡者は、癌、心疾患、脳血管疾患とならぶ高い死亡率の病因です。死亡率が加齢とともに加速度的にふえる典型的な老人病に他なりません。重症化し重篤化した高齢者、超高齢者に「エクモ」という人工呼吸器を十分に提供できない。このことが医療崩壊の象徴であるかのように言っていいのでしょうか。人間にはすべて生老病死のサイクルがある。人間が老いて病み、病んで死んでいくことがまるで許せないかのような主張に、私は納得がいきません。

当たり前のことですが、人間の死因の中で最も多いものは「老化」です。老化により心身の機能が不全とになって人間は死んでいきます。仮りに新型コロナに抗体が獲得されたり、ワクチンや特効薬が開発されたとしても、この事実には少しの変わりもありません。「生命至上主義」といったら言い過ぎでしょうか、生きてさえいればいい、生かしておけばそれでいい、というニヒリズムのようなものさえ漂っているではないか、と私には思われるのです。

今回の明成社のこの企画に、田尾憲男さんという論客とともに参加できたことは、私には大変うれしいことでした。この企画を推進された和田浩幸さんに心から深く感謝します。

田尾さん、和田さん、ありがとうございました。

■著者略歴

渡辺 利夫（わたなべ　としお）

拓殖大学学事顧問、前総長、元学長。昭和 14 年山梨県甲府市生まれ。慶應義塾大学経済学部卒業。同大学院経済学研究科修了。経済学博士。筑波大学教授、東京工業大学教授、拓殖大学教授を経て現職。専門は開発経済学・現代アジア経済論。（公財）オイスカ会長。李登輝友の会会長。著書に『開発経済学』（日本評論社）、『神経症の時代　わが内なる森田正馬』（文春学藝ライブラリー）、『アジアを救った近代日本史講義　戦前のグローバリズムと拓殖大学』（ＰＨＰ新書）、『新脱亜論』（文春新書）、『士魂　福澤諭吉の真実』（海竜社）、『台湾を築いた明治の日本人』（産経新聞出版）など。

田尾 憲男（たお　のりお）

昭和17年香川県生まれ。東京大学法学部私法ならびに政治コース卒。英国サセックス大学留学経済学専攻。日本国有鉄道（現ＪＲ）に入社し、鉄道情報システム株式会社監査役、顧問。皇學館大学特別招聘教授などを歴任。現在、神道政治連盟首席政策委員、日本交通協会理事、日本文化興隆財団理事など。著書に『英国と日本』、共著に『日本を語る』『共同研究・現行皇室法の批判的研究』『御代替り　平成から令和へ、私たちが受け継ぐべきもの』など。

日本人の底力

コロナ禍で問われる日本の針路

令和二年十一月十日　初版第一刷発行

著　者　渡辺 利夫
　　　　田尾 憲男

発　行　株式会社明成社
〒一五四―〇〇〇一
東京都世田谷区池尻三―二一―二九―三〇二
電　話　〇三（三四一二）二八七一
ＦＡＸ　〇三（五四三一）〇七五九
https://meiseisha.com

印刷所　モリモト印刷株式会社

乱丁・落丁は送料当方負担にてお取替え致します。

ISBN978-4-905410-61-4 C0036